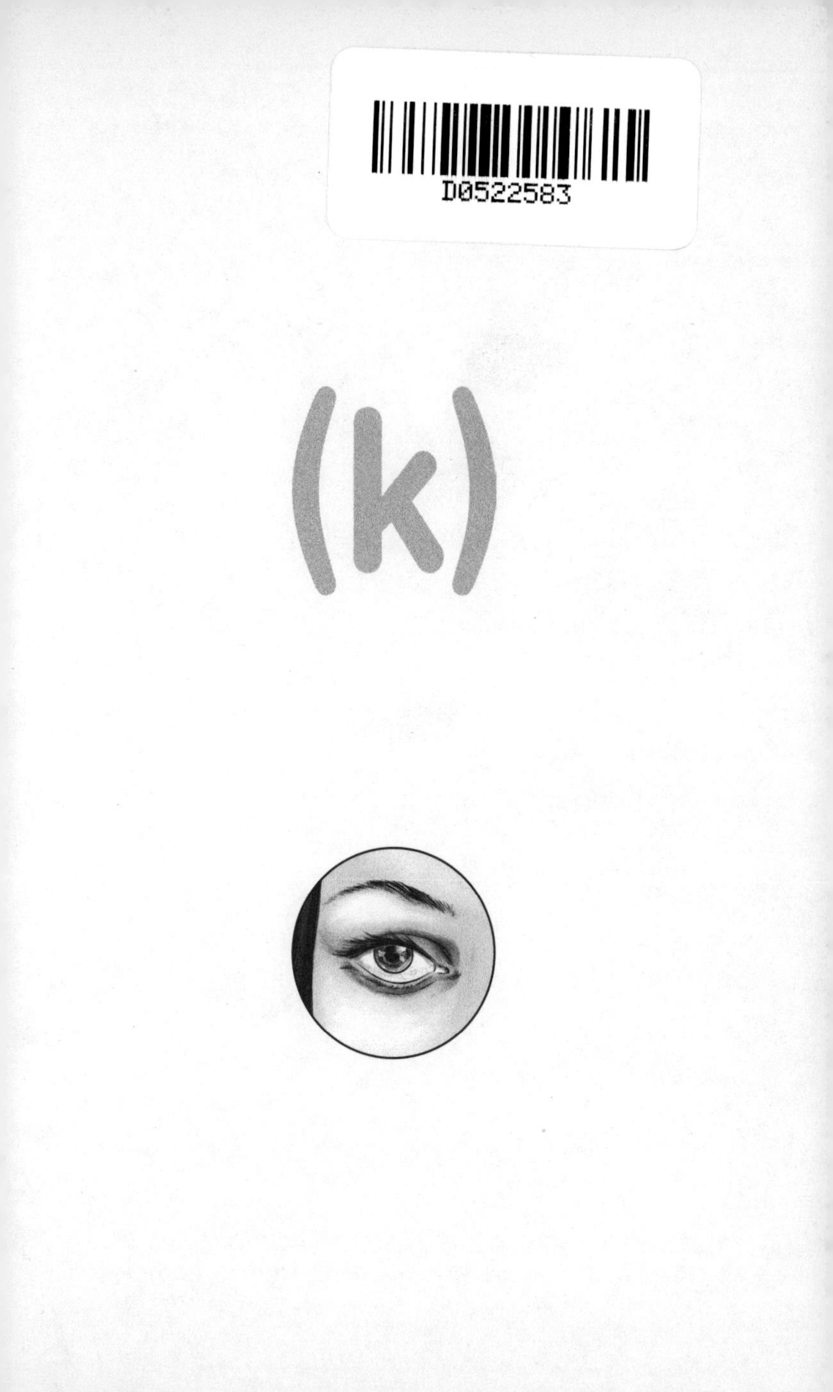
D0522583
(k)

Épisode

9

La multiplication des voyelles

Sophie Bienvenu

Illustrations de
Salgood Sam

la courte échelle

IL PARAÎT QUE GAB TRIPPE SUR MOI. C'EST FOU COMME UN GARS PEUT DEVENIR CUTE LA MINUTE OÙ JE SAIS QUE JE LUI PLAIS !
ET PUIS, KEVIN ET MOI SOMMES JUSTE AMIS, NON?
CE MATIN, DEVANT L'ÉCOLE, J'AI ÉTÉ FOUDROYÉE.
Allez, on rentre à la maison.
CE SOIR, AU DÉPANNEUR... MEHDI M'A CONSEILLÉ DE BOIRE POUR OUBLIER.
KEVIN A CHOISI CE MOMENT-LÀ POUR ARRIVER.
Je te déteste, Kevin Savard ! Je suis morte à cause de toi.
T'es saoule ? Viens, je vais te ramener chez toi.
ET MOI, JE LUI AI VOMI DESSUS.

UNE FOIS CHEZ MOI, KEVIN A ACCEPTÉ DE RESTER.
SI CE N'ÉTAIT MON MAL DE VENTRE, MON MAL DE TÊTE ET L'ODEUR DE VOMI, CE MOMENT SERAIT PARFAIT.
MAIS COMME MES PARENTS NE COMPRENNENT RIEN, IL FALLAIT QU'ILS VIENNENT TOUT GÂCHER.
Toi, rentre chez toi ! Et je vous interdis de vous revoir.
C'EST CE QU'ON VERRA.

De: Émilie
À: Moi
Date: Dimanche
À: 21:36

Mais qu'est-ce que tu fous?

De: Moi
À: Émilie
Date: Dimanche
À: 21:38

T'as des sous pour un taxi? Je me suis évadée!

De: Émilie
À: Moi
Date: Dimanche
À: 21:40

T'es folle! Tu vas te faire tuer!

De: Moi
À: Émilie
Date: Dimanche
À: 21:41

Je SAIS! Kevin est mieux d'être chez Sam!

Je ne suis pas sûre d'avoir pris la bonne décision. Tellement pas sûre qu'on dirait que mon cœur va me sortir par la gorge. Chaque fois que les phares d'une voiture s'allument derrière moi, j'ai peur que mes parents se soient rendu compte de mon absence et qu'ils viennent me rattraper pour me traîner à la maison. Pour me cloîtrer chez nous comme Rapunzel dans sa tour. Pour m'empêcher de revoir Kevin.

Mais, avant ça, pour me passer un sacré savon.

Chez Sam, il n'y a presque personne et je ne connais pas la moitié des gens. Ils viennent d'autres écoles et ont l'air plus vieux... Le genre qui plaît à Émilie.

Selon elle, il y a des chances que mes parents ne remarquent même pas que je suis partie.

– Et puis, de toute façon, c'est fait ; autant passer une bonne soirée. Change de face ; c'est pas comme ça que tu vas le séduire, ton Kevin ! me conseille-t-elle avant d'aller semer des sourires à droite et à gauche pour effacer le goût bizarre de « l'heure la plus *weird* » qu'elle a passée dans sa vie. (Il faut, en effet, quelques rencontres avant de s'habituer à l'originalité de Mehdi.)

Jonathan n'étant plus qu'un (mauvais) souvenir, elle doit bien trouver de quoi passer le temps.

J'aperçois Kevin, affalé sur un canapé, une bière à la main, occupé à ne rien faire d'autre qu'être *cute*.

Je n'ai pas osé lui reparler depuis l'épisode de ma déchéance alcoolique. J'avais bien trop honte. C'est toujours le cas, mais il va bien falloir que je m'excuse de ma conduite et du fait que mon père l'ait chassé...

Et que je lui demande ce qui se passe entre Mèches-Roses et lui, ajoute Tania.

On verra pour ça.

– C'est plate, comme party, m'informe-t-il alors que je m'assois à ses côtés.

– Ah bon ? Comment ça ?

– Yé ben smatte, Sam, mais ses partys sont toujours nuls. C'est de même, déclare-t-il, fataliste.

– Ben pourquoi t'es venu, alors ?

– Me disais que t'allais être là.

Boum. Coup dans le cœur.

– Tu voulais me voir ?

– Hé ! hé ! J'ai bien aimé l'expérience de me faire jeter à la porte de chez toi, l'autre soir. Je me suis dit qu'on pourrait recommencer.

Encore une blague qu'il est tout seul à trouver drôle. Comme si je n'étais pas déjà assez mal à l'aise ! Est-ce que quelqu'un aurait une pelle, que je me creuse un trou dans le sol ?

Puisque personne ne répond, je me décide à m'excuser :

– Oui, d'ailleurs... je suis désolée... pour tout ça. Je sais pas trop quoi dire.

Il hausse les épaules.

– C'est p'têt vrai que j'ai une mauvaise influence sur toi.

– Mais non ! C'est mon père qui raconte n'importe quoi ! Pis, de toute façon, je suis capable de savoir toute seule ce que j'ai à faire ! que je m'insurge.

– J'ai vu ça l'autre soir, ironise-t-il.

– Tu m'en veux ?

– Mais non ! Mais je te *watche*, par exemple... ajoute-t-il sur un ton mystérieux.

Quelqu'un atterrit sur le divan avec la subtilité d'un tramway.

– Heille, Anita ! C'est cool que tu sois là !

Un tramway nommé Gab.

Kevin soupire, se lève et part explorer l'étage supérieur de la maison. Bravo, la surveillance, s'il se pousse dès qu'un autre gars s'approche de moi ! Entre le marquage de territoire et la désertion, il me semble qu'il y a un juste milieu (mais les justes milieux, ce n'est pas le fort de Kevin, je dois l'avouer). Si, demain, on apprend dans les journaux que je me suis fait violer, étrangler et jeter dans une poubelle, il n'aura que lui à blâmer.

Gab me tend une bouteille de bière.

Si, mardi, on apprend dans les couloirs de l'école que j'ai fini la soirée soûle, que j'ai frenché n'importe qui et que j'ai vomi dans une poubelle, Kevin n'aura que lui à blâmer.

Pas vraiment concentrée sur la conversation, mais plutôt sur mon envie de faire pipi et sur l'escalier, attendant que Kevin redescende, j'interromps Gab en plein milieu d'une phrase pour lui demander où sont les toilettes.

– Là, juste à gauche, me dit-il en m'indiquant la droite. Mais y a quelqu'un, je pense. Sinon, y en a d'autres à l'étage.

L'étage ce sera.

Il n'y a personne en haut pour m'indiquer où se trouve la salle de bain. Je finis par arriver dans la cuisine, où Kevin est adossé au frigo, sirotant une bière. Il remarque tout de suite la bouteille que je tiens dans ma main et à laquelle je fais faire une visite guidée de la maison.

– Tu vois ! Je te laisse cinq minutes et...

– ... c'est pas de ma faute, c'est Gab qui me l'a donnée !

– C'est ça. Je te laisse cinq minutes...

Il cale sa bière d'un coup. Je soupçonne qu'il n'en restait pas tant que ça et qu'il fait durer le geste pour m'impressionner.

Il reprend :

– Y m'énarve, lui.

– Je sais.

– T'es belle à soir.

– Merci. Toi aussi.

Ça me fait penser à la fois où j'ai répondu : « Merci, toi aussi » quand la caissière du McDo m'a souhaité un bon appétit. Émilie a tellement ri qu'une frite a failli lui sortir par le nez.

Je sautille d'un pied sur l'autre. On pourrait croire que je suis mal à l'aise (parce que je SUIS mal à l'aise), mais c'est surtout que j'essaie de contrôler mon envie de faire pipi. Je me demande si ce serait moins pire en me tenant sur les mains. La gravité aiderait certainement. Je suis seule avec Kevin dans une cuisine ; c'est bien le moment de réfléchir à des expériences sportivo-scientifiques !

Je prends une gorgée de bière pour me donner une contenance et grimace. Bien joué pour la contenance !

– Tu veux un verre d'eau pour faire passer le goût ? me demande-t-il en souriant.

– Pffff... n'importe quoi !

Si j'entends le bruit de l'eau qui coule, je ne réponds plus de rien. J'essaie de détourner mes pensées du robinet, de la pluie qui a commencé à tomber dehors ou des chutes du Niagara :

– Mehdi tripe sur Émilie, tu savais ?

– Hé ! hé ! Ouais...

– Pourquoi tu ricanes ?

– T'es obligée d'être au courant de tout, tout le temps ?

– Oui. Pourquoi tu ricanes ? Y a quelque chose que je devrais savoir ? que j'enquête.

– Si tu devrais le savoir, tu le saurais.

– *Si tu deVAIS le savoir*, on dit, que je le corrige.

– Si tu devais le savoir, on dit, répète-t-il pour se moquer.

– Je parle pas comme ça !

Alors qu'il continue de m'imiter, je m'approche de lui pour le frapper en riant. En trois petites secondes, il a immobilisé mes mains dans les siennes.

Après m'être débattue pour la forme, vaincue, j'essaie de reprendre mon sérieux.

– Tu me feras pas changer de sujet. Qu'est-ce que je devrais savoir ?

Toujours en me tenant les mains, Kevin me pousse doucement contre l'îlot derrière moi. Ses yeux brillants plongés dans les miens, il sourit :

– Coudon', y a-tu moyen de te la fermer ?

– Je...

... ne me souviens plus de ce que je voulais dire. Sa main lâche mon poignet pour s'engouffrer dans mes cheveux, puis glisse dans mon cou. Il caresse mes lèvres avec son pouce et m'embrasse timidement. Ses lèvres sont douces, sa langue juste faite pour ma bouche.

L'amertume de la bière, la texture de sa peau, le bruit du frigo, la basse sourde de *Kids* de MGMT qui émane du sous-sol, l'endroit précis de mon dos meurtri par le bord de l'îlot, ma vessie qui menace d'exploser à chaque instant, son odeur (Peter Jackson sur fond de Tide)... chaque détail de ce moment restera gravé dans ma mémoire toute ma vie et même après ça.

Quand je referme la porte d'entrée derrière lui, alors qu'il doit partir pour récupérer son petit frère chez la voisine, j'ai peur d'avoir imaginé tout ça. Mais, lorsque les yeux fermés je passe ma langue sur mes lèvres, le goût inhabituel que j'y trouve me prouve que je n'ai pas rêvé.

Maintenant, je peux mourir.

(K)

23:35 – Kay dit :
HeÒle…

23:37 – Kay dit :
T'es là ?

23:42 – Kay dit :
Tania ?

23:25 – Kay dit :
Faut que je te parle.

Dernier message reçu le dimanche 5 décembre à 23:25

Quand je redescends pour pratiquer la multiplication des voyelles, Émilie a l'air de s'ennuyer royalement au milieu de trois gars que je n'ai jamais vus avant. Je la rejoins, le plus grand sourire que la terre ait jamais porté accroché sur mon visage.

– Hiiiiiiiiiiiiiiiiiiiiiiiiiii ! (Multiplication des voyelles.)

– Quoi, quoi, quoi ? Vous avez frenché ?

Venant d'utiliser tous mes « i », je suis dans l'incapacité de répondre par l'affirmative. Je hoche la tête en signe d'assentiment. Mon amie explose de joie :

– Hiiiiiiiiiiiiiiiiii ! (La multiplication des voyelles est, chez les filles, quelque chose de contagieux.) Racontemoi comment ça s'est passé !

Nous allons nous asseoir sur un divan pour être plus à l'aise, et je lui explique tout dans les moindres détails, revivant avec le plus grand plaisir ce que je peux facilement qualifier de meilleures trente-huit secondes (à peu près) de ma vie.

Une fois l'adrénaline retombée et mes esprits retrouvés, la perspective de rentrer chez moi ne m'amuse plus du tout. Je n'ai pas envie que mes parents viennent gâcher cette soirée parfaite avec leurs leçons de vie, leurs punitions et leur humeur pourrie. Ils n'étaient pas comme ça avant. Je me demande ce qui leur arrive. À part le fait qu'ils m'ont retrouvée soûle, je veux dire. Mais bon...

– Si tu passes par la cuisine, tu pourrais faire semblant d'être allée te chercher un truc dans le frigo.

– Avec mon manteau et habillée de même ?

– Ben non, il faudrait que tu sois en pyjama !

– Avoir su, je l'aurais mis dans mon sac avant de partir...

– Tu le sauras la prochaine fois.

– Ouin...

– Oh ! tu pourrais piquer un pyjama à la mère de Sam... Tu te changes ici, tu me laisses tes affaires et je te les rapporte demain !

– Euh...

– Et puis, si tes parents te voient entrer, tu dis que tu cherchais le chat dehors !

Émilie jubile, pas peu fière de son plan diaboliquement génial. Ma conscience émet quelques objections :

– O.K. Alors, après m'être sauvée, je vole et je mens. Mes parents vont être fiers s'ils s'en rendent compte.

– Il fallait y penser avant de te pousser de chez toi comme ça.

– Mais je vais avoir froid dehors, sans manteau, non ?

– Ben désolée, je fais pas de miracles ! On prend un taxi, de toute façon. Mais faut pas qu'il s'arrête JUSTE devant ta maison.

– Et le pyjama, ils vont voir que c'est pas le mien !

– Mais non ! Au pire, tu n'auras qu'à leur dire que c'est à moi. Allez ! Allez ! Plus on attend, plus y a de chances qu'ils remarquent que t'es partie !

– Oh là là ! Ça marchera jamais ! que je me lamente.

– Mais oui, mais oui !

– Non, que je grommelle en montant commettre mon larcin.

Si le baiser avec Kevin valait à cent pour cent mon éventuelle punition pour avoir quitté la maison sans autorisation, j'ai l'impression d'aggraver mon cas en cachant ma fuite à mes parents. J'ai envie de les appeler pour leur dire que je reviens tout de suite. J'ai horreur de mentir à ma mère. Quant à mon père, même si je le déteste parfois, même s'il fait des *jokes* plates et qu'il utilise des expressions niaiseuses, la confiance qu'il a en moi est quelque chose d'assez précieux. Et j'avoue que j'ai peut-être donné un léger coup de tronçonneuse dedans jeudi soir.

Les remords entachent mon bonheur.

Les remords ou la peur de me faire pogner ?

Cette question n'aura pas de réponse, puisque Émilie me demande en me lançant un pyjama :

– Au fait... C'est vrai ce que t'as dit à Kevin ? Que Mehdi tripe sur moi ?

Oups !

(K)

10:39 – Kay dit:
Désolé d'être parti si vite hier soir.

10:39 – Kay dit:
J'avais oublié Matthias! :|

10:39 – A.n.i.t.a dit:
C'est pas grave.

10:39 – Kay dit:
Tu fais quoi aujourd'hui?

10:40 – A.n.i.t.a dit:
Je sais pas... Toi?

10:40 – Kay dit:
Je sais pas... Tu veux venir chez moi?

10:40 – A.n.i.t.a dit:
J'aimerais ça, mais mes parents sont là...

10:40 – Kay dit:
Ah, ouais, c'est vrai; j'avais oublié. Chu banni.

10:40 – A.n.i.t.a dit:
On va trouver un moyen. :)

10:40 – Kay dit:
(k)

10:41 – A.n.i.t.a dit:
(k)

Dernier message reçu le lundi 6 décembre à 10:40

Le plan d'Émilie a fonctionné.

Malgré ça, j'ai déjà été plus fière de moi dans ma vie, je l'avoue. Les mensonges et les cachotteries ont un goût amer.

Lorsque je suis rentrée par la porte de la cuisine, gelée jusqu'aux os, j'ai profité de l'occasion pour prendre un verre de lait et des Oreo.

– Tiens, je ne t'ai pas entendue descendre ! a remarqué ma mère.

Haussement d'épaules de ma part. Si j'avais ouvert la bouche, j'aurais fondu en larmes et tout avoué.

– Tu veux venir regarder la télé avec nous ? Quoiqu'il soit un peu tard...

J'ai tenté un « non merci », qui est sorti beaucoup plus aigu que prévu.

– On s'assoira tous les trois, demain... On a besoin de parler, je pense.

Hochement de tête. Je priais pour qu'elle sorte de la pièce.

– C'est un pyjama à Émilie ?

Hochement de tête.

– Ça va ?

Hochement de tête.

– Bon, alors, bonne nuit.

Lorsqu'elle a déposé un bisou sur le haut de mon crâne, j'ai dû regarder en l'air pour renvoyer mes larmes d'où elles venaient. D'une voix tremblotante, je l'ai rappelée :

– Maman ?

– Oui ?

J'ai entendu Émilie dans ma tête pratiquer un autre genre de multiplication des voyelles : « Nooooooon ! » Mon cœur, comme s'il n'était pas fatigué du travail de titan qu'il avait dû abattre durant la soirée, battait à se rompre. Toute la culpabilité, la peur et la tristesse du monde étaient concentrées dans ma gorge. J'ai décidé de vivre avec.

– Je t'aime.

– Moi aussi, je t'aime, ma chérie.

Alors que, dans mon lit, j'aurais dû me rejouer le film de mon premier baiser avec Kevin, avec mon oreiller comme doublure, j'ai pleuré jusqu'à ce que je sois vide de larmes, et même après ça. C'était la pire punition du monde. Pour moi, de moi, avec amour.

Quand je me suis réveillée, ce matin, j'ai mis de l'eau fraîche sur mon visage pour faire dégonfler mes yeux et j'ai décidé que je m'étais assez torturée comme ça.

Il est temps d'effacer les ardoises, de remettre les compteurs à zéro, de repartir à neuf dans un univers où rien de tout ça ne s'est passé... J'espère que mes parents sont au courant.

– Papa, je peux prendre la voiture pour aller faire un tour ?

– Tiens ! mademoiselle daigne m'adresser la parole... T'as fini de bouder ? me répond-il en levant le nez des plans auxquels il travaille.

Je baisse les yeux et regarde mes chaussures.

– Je boudais pas... que je laisse échapper évasivement.

– Ben non ! Ça fait trois jours que tu tires un nez comme un sabot...

– Un nez comme un sabot ? C'est quoi, cette expression ? que je lui demande en laissant poindre un petit peu – mais juste un tout petit peu – de mépris.

– Je te signale, Princesse, que te trouver soûle dans ton lit avec un garçon en plein milieu de la nuit, ça n'a pas été le meilleur moment de ma vie...

– Je sais ; je m'excuse, c'était pas prévu...

Allons, bon, que je pense, il remet cette histoire sur le tapis. Il ne semble pas savoir que la page est tournée.

– Ben j'espère que c'était pas prévu ! Manquerait plus que ça ! D'ailleurs, je l'ai replacé, ton Kevin ! C'est un des *bums* du dépanneur, non ?

Mes chaussures sont plus sales d'un côté que de

l'autre. Ça doit être parce que je marche croche. À cause de mes genoux croches.

– Où veux-tu aller avec l'auto ?

J'espérais naïvement qu'il ne me poserait pas la question.

Je mets un peu trop de temps à répondre « euh... ». (Une chance que je n'aime pas mentir, parce que je n'ai vraiment pas le talent pour en faire une carrière !)

– Voir Kevin, suppose mon père, digne rejeton de Sherlock Holmes.

– Euh...

– Le garçon qui a passé l'été dans le stationnement du dépanneur, qui embrassait une autre fille devant l'école jeudi matin avant que tu te soûles avec lui et qu'on le trouve dans ta chambre... Le gars que je t'ai interdit de voir...

J'ai vraiment l'impression que le mémo du passage d'éponge ne s'est pas rendu jusqu'à lui. Je me justifie donc :

– C'est pas avec lui que j'ai bu ; lui, il m'a ramenée à la maison.

– Un mec bien, ce Kevin, finalement ! Il te ramène, mais il se ramène aussi !

– C'est moi qui lui ai demandé de rester ; lui, il voulait s'en aller...

Mon père soupire.

Un soupir de gars auquel je ne comprends rien, parce que je suis une fille et que les filles ne comprennent rien aux gars et vice-versa. Si on ajoute à ça le fait que les parents ne comprennent rien aux enfants et vice-versa, mon père pourrait aussi bien soupirer en japonais : ça ne changerait pas grand-chose...

Il reprend (en français dans le texte) :

– Finalement, ce que t'essaies de me dire, Anita, c'est que ton Kevin, c'est un héros...

– Oui, que je réponds sincèrement.

– Évidemment. Et que je t'interdise de le voir, ce garçon, ça ne va rien changer, tu vas le voir quand même ?

– Oui. (Un petit relent de culpabilité dû à ma mini-fugue d'hier soir m'empêche d'avaler ma salive. Est-ce que je devrais lui en parler maintenant ? Nous sommes au bord du précipice.)

– Évidemment. Donc, mon interdiction ne servirait à rien, finalement ?

– Non.

– Je peux te CONSEILLER de ne plus le voir ?

– Oui.

– Mais ça ne va rien changer ?

– Non, que je lui réponds en souriant. (La culpabilité a fait un joli PLOUF en tombant dans le ravin.)

– C'est bien ce que je pensais. Ben, alors, vas-y,

qu'est-ce que tu veux que je te dise ?

Mon père a l'air vieux, tout à coup. Il a l'air d'un gars qui vient de perdre à la loterie, mais qui n'en est pas vraiment surpris, parce que, dans le fond, il savait qu'il n'avait qu'une chance sur je ne sais combien de millions de gagner. Je contourne son bureau pour lui faire un câlin et récupérer les clés de l'auto.

– Ah ! pis, ajoute-t-il, mal à l'aise, tu demanderas à ta mère pour les... affaires de... filles, là... La... pour... on sait jamais. Tu sais... la... truc.

– La pilule ? que je lui demande innocemment.

Mon père lève les yeux au ciel et se lamente :

– Vous allez finir par me tuer !

(K)

11:02 – Emxx dit:
T'es là ?

11:04 – Emxx dit:
T'es pas là ?

11:05 – Emxx dit:
Réponds au téléphone !

11:09 – Emxx dit:
T'es oùùùùùùùùùùùùùù ?

11:14 – Emxx dit:
Au dép' encore, je gage...

11:16 – Emxx dit:
Bon, je vais aller voir.

Dernier message reçu le lundi 6 décembre à 11:16

Lorsque j'arrive chez lui, Kevin me prend par la taille, m'attire vers lui et me serre dans ses bras. Je n'ai donc pas rêvé ce qui s'est passé hier soir. Et, aujourd'hui, étant donné que je suis ici en toute légitimité, je peux apprécier le moment avec tous les poils de ma chair de poule.

C'est comme si je venais chez lui pour la première fois. Je ne sais pas où m'asseoir ni où regarder. J'ai envie de toucher à tout, mais je n'ose m'approcher de rien. C'est tout juste si je ne demande pas l'autorisation de m'appuyer sur un meuble.

Après avoir pris une collation, nous restons tous les deux silencieux dans la cuisine. Il débarrasse la table, enfonce ses mains dans ses poches et s'adosse contre le mur en regardant ses pieds.

– Je dois aller porter un chandail qu'un gars m'a commandé, tantôt. Trois, en fait : un pour lui, un pour un de ses *chums* et un pour sa blonde.

– Ah ? T'en dessines pour les filles aussi ?

– Ben ouais !

– Je pourrais en avoir un, si je te le paie ?

– Sûr.

– Ça commence à débloquer pas mal, ton affaire, non ? Tu devrais peut-être aller voir dans des magasins ; peut-être que tu pourrais leur en vendre ?

– Ben voyons, Anita ! Je fais ça pour le *fun* ; qui c'est qui m'en achèterait pour vrai ?

– Le gars de tantôt, son ami, pis sa blonde, déjà...

– Super ! On va se mettre riches, avec ça ! ironise-t-il.

Ne sachant quoi répondre, je le rejoins, colle ma poitrine contre la sienne, l'embrasse si passionnément qu'il en perd l'équilibre, lui prends la main et l'entraîne vers sa chambre. J'ai beaucoup appris de Tania. Il faudra un jour que je la remercie.

Kevin me suit docilement. Devant son lit, je perds toute ma superbe et mon esprit d'initiative. Pouf ! Disparus !

Me voilà dans la situation que j'attends depuis des mois, mais empotée telle une poule qui aurait trouvé un couteau (comme dirait mon père), ignorant quoi faire et par où commencer.

Kevin m'embrasse dans le cou et promène ses mains sous mon chandail, espérant sans doute que je vais l'imiter. Je l'imite donc. Nos bras s'emmêlent, nos vêtements sont dans le chemin... Impossible de me concentrer sur mon frenchage en même temps que sur mon « appréciage » de la situation.

Une envie de pipi me prend.

Décidément, ma vessie a juré ma perte !

Que se passe-t-il si on fait l'amour en ayant la vessie pleine ? Peut-elle exploser ? Se vider ? Est-ce que ça se dit, en plein préliminaires : « Excuse moi, je dois aller aux toilettes » ?

La menace d'éclatement de vessie est trop forte. Je tente ma chance. Kevin n'a pas l'air de se formaliser de mon interruption. Lorsque je reviens dans sa chambre, il a mis de la musique, s'est allumé une cigarette et s'est couché sur son lit. Il me regarde en souriant et m'invite à le rejoindre. Je m'allonge à ses côtés, la tête sur sa poitrine. Son cœur bat vite et fort.

Il se met à chanter doucement, murmurant presque *« You told me again you prefered handsome men, but for me you would make an exception... »* Je l'accompagne, susurrant les paroles, moi aussi : *« You fixed yourself, you said well never mind, we are ugly, but we have the music... »*

– Tu connais Leonard Cohen ? me demande-t-il, surpris.

– Oui.

– Le père de Matthias l'écoutait tout le temps.

– Mon père aussi. Tu t'ennuies de lui ?

– De ton père ? Non, VRAIMENT pas ! Ha ! ha ! ha !

– Mais non, de Sylvain ! que je lui réponds en souriant.

– Ouais... Mais moins en ce moment.

Il dépose un baiser dans mes cheveux, et nous nous embrassons doucement, tendrement. Je ne me pose plus de questions... pendant au moins... dix-huit bonnes secondes.

Est-ce qu'il s'attend à ce que je sois plus entreprenante ? Je caresse son ventre. Devrais-je lui dire que je n'ai jamais fait l'amour ? Sous son t-shirt, ma main va et vient. Une grosse boule de chaleur explose entre mes jambes quand mon petit doigt s'immisce (par accident ?) sous l'élastique de son boxer. Devrait-on fermer la porte ?

Comment est-ce possible d'avoir si peur et si envie en même temps ?

L'humidité entre mes jambes n'a jamais été aussi conséquente. Va-t-il, s'il se rend jusque-là, trouver que c'est trop ? Suis-je normale ? Est-ce que ça va saigner et tout tacher ?

– Anita... me murmure Kevin à l'oreille alors que sa main remonte dans mes cheveux. Faut vraiment que j'aille porter les chandails au gars.

Une douche froide, avec ça ?

Il me serre dans ses bras, m'embrasse dans le cou, descend ses mains sur mes hanches et les remonte brusquement. Il râle.

– Rhaaa... j'ai tellement envie de toi, ça a pas de sens !

Je reste interdite. Mon « moi aussi, faisons-le donc ! » reste coincé dans ma gorge et refuse de sortir. Kevin dépose un dernier baiser sur mes lèvres et se dirige vers la salle de bain, me laissant tout électrifiée et ébouriffée de désir, couchée sur son lit.

C’est certain, il doit y avoir quelque chose de pas correct avec moi. Mais quoi ?

Encore une autre question qui, elle non plus, ne trouvera pas de réponse aujourd’hui.

(K)

17:23 – Emxx dit :

Et moi qui trouvais ma vie trépidante...

17:23 – A.n.i.t.a dit :

Et moi qui trouvais ma vie plate... : P

17:23 – A.n.i.t.a dit :

Tu viens souper à la maison ?

17:24 – Emxx dit :

Ben... j'avais une *date*, mais faut savoir reconnaître ses prÕrités ! : P

17:24 – Emxx dit :

J'arrive !

17:24 – A.n.i.t.a dit :

:)

Dernier message reçu le mardi 7 décembre à 17:24

Émilie est la personne idéale à consulter en cas de mon-*chum*-n'a-pas-voulu-faire-l'amour-avec-moi.

Mon *chum* ? Est-ce que Kevin est mon *chum* ? Une autre question qui s'ajoute à ses petites sœurs...

Aujourd'hui, il n'était pas à l'école.

Il m'a textée ce matin pour m'informer qu'il avait « quelque chose à régler » et que nous nous reparlerions dans la journée. Il est six heures et demie du soir, et toujours pas de nouvelles de lui. C'est long, une journée entière à fixer un téléphone. Qui aurait cru que je serais encore plus mêlée après notre baiser (et plus) ? Sommes-nous ensemble, oui ou non ? Mon avis sur la question oscille comme l'aiguille d'un métronome.

Même si Émilie me gêne parfois avec ses conclusions et ses remarques assez crues, son avis expérimenté sur la question va certainement m'aider à y voir plus clair. À condition que j'écoute ce qu'elle me dit. Elle suppose :

– Peut-être qu'il ne réussissait juste pas à avoir d'érection parce qu'il était trop excité.

– Ça arrive, ça ? que je lui demande, en bonne élève.

– Oui, tout le temps.

– TOUT LE TEMPS ?

– Mais non, pas « tout le temps » ! J'exagère...

– Ah ! Non, de ce côté-là, ça allait, que je lui confirme.

– Bon... alors, c'est pas ça...

Nos cerveaux ne tempêtent pas, ils tornadent. Soudain, Émilie s'écrie :

– Je SAIS ! Peut-être qu'il a une autre blonde – la fille de l'autre fois – et qu'il veut pas faire l'amour avec toi parce qu'il veut pas la tromper.

– Tu penses ?

– Ben... ça se peut, oui.

– Hum... En tout cas, s'il faisait ce qu'on a fait avec une autre fille, il aurait pas besoin de coucher avec elle pour que je considère qu'il m'a trompée.

– Oui, mais les gars sont pas comme nous là-dessus, m'apprend-elle.

– Ah non ?

– Ben non ! Tu lui as pas demandé c'était qui, la fille qu'il a embrassée jeudi matin ?

– Euh, non... Mais Mehdi me l'aurait dit, si Kevin sortait avec une autre !

– Peut-être qu'il ne le sait pas... D'ailleurs, puisqu'on en parle... il a une blonde, Mehdi ?

– Non, pourquoi ?

– Je sais pas... me répond Émilie d'un air évasif. Il est *cute*.

Mon sang ne fait qu'un tour. La vision que j'ai eue la première fois qu'ils se sont rencontrés me revient soudainement : Émilie au volant d'une voiture, fonçant à toute allure sur mon ami. Tant que Mehdi s'intéressait à elle tout seul de son côté, il n'y avait aucun danger ; mais si l'intérêt devient réciproque, c'est différent. Le risque que la situation finisse par un beau carnage devient pas mal trop grand, à mon goût.

– T'envisages pas de sortir avec lui, quand même ?

– Ben... Non... Pourquoi ?

– Pourquoi ? Mais parce que ce serait la PIRE idée du monde, voyons ! Vous n'avez rien à faire ensemble, toi et lui. Vous êtes comme le jour et la nuit. T'as beau le trouver de ton goût, vous êtes beaucoup trop différents pour que ça marche ; penses-y même pas ! En deux secondes, il sera raide amoureux. Il fera n'importe quoi pour toi, il sera à tes pieds. Ça finira par te lasser et, finalement, tu te seras amusée avec lui un moment, mais tu le laisseras pour un autre ou juste parce qu'il n'a pas d'ambition, pas son permis ou pour une autre raison stupide, et il finira à terre. Quand ça arrivera, je serai au milieu de tout ça, entre deux feux, obligée de choisir entre vous ! Et, comme je t'aurai prévenue, comme ce sera TA faute et que tu t'en sortiras certainement sans y avoir perdu une seule plume, c'est toi que je blâmerai, et ce sera la fin de notre amitié pour vrai. Tu peux jouer avec tous les gars que tu veux comme un chat : planter tes griffes dedans, les laisser s'échapper, rire de les voir chercher une issue inexistante, les rattraper sans trop d'efforts, leur mordre le cou jusqu'à ce que ça craque et les abandonner quand, finalement, ils gisent à terre, sans vie, et qu'ils ne te divertissent plus... Tu peux faire ça avec qui tu veux! Mais Mehdi, c'est mon ami. Et lui, tu ne lui feras pas mal.

C'est sorti tout seul. D'une traite. Comme si ça faisait des semaines que je préparais ma tirade et que c'était ce soir la grande représentation.

Et, en fait de représentation, on peut dire que c'est réussi : mon public est sous le choc.

Émilie, les yeux brillants, reste muette alors que mes derniers mots résonnent dans la pièce et dans ma tête. Dire que j'y suis allée un peu fort serait un euphémisme. Je reprends ma respiration.

Exercice.

Répondre aux questions suivantes :

1. Que penserait Mehdi s'il savait que je viens de tenir ce discours à la fille de ses rêves ?

2. Avais-je le droit de faire ça ?

3. Comment aurais-je réagi s'il avait fait la même chose avec Kevin ?

Réponses :

Il ne le saura pas, donc la question ne se pose pas.

Oui, j'avais tout à fait le droit, dans la mesure où c'est pour protéger mon ami que j'ai agi ainsi.

Ce n'est pas du tout la même situation, donc la question ne se pose pas non plus.

L'énoncé ne précisait pas que je devais répondre honnêtement et en toute objectivité aux questions. Je récolte donc un 100 %. Bravo à moi.

Ou pas.

Émilie caresse Antoine entre les deux oreilles. S'il avait fallu qu'elle parte en claquant la porte, vexée de mon monologue incendiaire, elle l'aurait déjà fait. Si ça se trouve, elle sait que j'ai un peu raison. Elle est en train de se rendre compte que sa façon d'agir avec les gars n'est pas toujours correcte ; son prochain *chum* pourrait bien être le gars le plus chanceux du monde... Ouais... si ça se trouve.

– Alors ! Si on l'appelait, ton Kevin ? finit-elle par me proposer, comme si cet épisode n'avait jamais eu lieu.

On oublie. Ça me va.

Téléphoner à Kevin en présence d'Émilie, qui me mimera quoi dire à quel moment, me semble être une bonne idée. Encore un bon exemple qui montre que je devrais toujours réfléchir avant d'agir...

– Allo, Kevin ? Tu sais jeudi matin, là...

– Hum...

– Je t'ai vu avec une fille... C'était qui ?

Je répète bêtement ce qu'Émilie m'a fait apprendre pas cœur, mais je n'aime ni le ton ni la méthode employés. Il est inscrit « désastre » à l'encre rouge partout sur notre plan.

– Euh... jeudi... Je sais pas, là... Y a quelqu'un avec toi ?

– Non. Alors, c'était qui ?

– Une copine... T'es sûre qu'y a personne ? Tu sonnes bizarre.

– Non, non. Mais tu l'as frenchée.

– Euh... on peut-tu en parler à un autre moment ?

– En parler à un autre moment ? que je répète pour Émilie, qui me fait non de la tête.

Un non catégorique.

– Non.

– Pourquoi tu veux savoir ça maintenant ?

– Parce que. On veut savoir maintenant.

Émilie me fait les gros yeux. Si ce plan est étiqueté « désastre », moi, je suis étiquetée « épaisse ».

– On qui ?

– Moi pis... Antoine !

Émilie chuchote :

– Super ! T'as l'air d'une folle qui parle à son chat, comme ça. Laisse-le pas changer de sujet, allez !

– Alors, c'était qui la fille ?

– Une amie, je t'ai dit, voyons ! C'est vraiment

chiant ; on dirait qu'il y a quelqu'un en arrière, c'est tannant. J'haïs ça, le téléphone.

– Tu couches avec elle ?

À l'autre bout du fil, Kevin perd patience :

– O.K. Je sais pas c'est quoi la panique, là, mais ça me gosse. Je viens pas te demander ce que tu taponnes avec Gab ou avec tous les autres gars qui te courent après.

– Moi, je les frenche pas dans ta face !

Émilie me fait le signe « Bien envoyé ! ». De mon côté, j'ai des doutes. Mon père m'a toujours expliqué que, si on glisse sur une plaque de verglas au volant d'une voiture, il faut passer au neutre et cesser d'accélérer. La métaphore est saisissante, je trouve. Mais bon, mon père pis ses conseils...

– Je l'ai pas frenchée dans ta face... *Check*, Anita, on peut-tu en parler à un autre moment, là ?

– J'ai le droit de savoir si tu sors avec deux filles en même temps, me semble !

Poing sur la table. L'hystérie nous guette, Émilie et moi. L'effet d'entraînement, on appelle ça.

– Je sors pas avec deux filles en même temps.

Soulagement.

Mon amie arbore un large sourire et me tape dans la main.

– Quoi ? Qu'est-ce que t'as dit ? J'ai pas entendu...

que je demande à Kevin, qui a continué de parler durant nos simagrées.

– J'ai dit : « Je sors pas avec deux filles en même temps... »

– Oui... ça, j'avais entendu.

J'adresse un pouce levé et un sourire niais à Émilie.

– Je sors avec personne.

DANS LE PROCHAIN ÉPISODE

Pour un gars qui ne « sort avec personne », je trouve que Kevin recherche pas mal ma compagnie...

Émilie me dit que ça arrive, des fois, qu'un gars prenne du temps à avouer au monde entier qu'il sort avec une fille. Mais bon, je me méfie un peu de ses conclusions depuis son idée du coup de téléphone...

(k)

Sophie Bien

LA DISCUSSION DE L'HEURE :

As-tu déjà désobéi à tes parents ?

Qu'as-tu fait ?

Quelles en ont été les conséquences ?

enu blogue !

La multiplication des voyelles

Épisode 9

Sophie Bienvenu

zod

com

ÉVÉNEMENTS

CONCOURS

epizzod
.COM

epizzod

Sophie Bienvenu

Sophie Bienvenu est une fille, une jeune fille ou une femme, selon son humeur. Elle possède un chien, des draps roses et un sofa trop grand pour son appartement. Après avoir suivi une formation en communication visuelle dans une prestigieuse école parisienne, elle a décidé d'exercer tous les métiers possibles jusqu'à ce qu'elle trouve sa vocation. C'est en 2006, lors de la parution de *Lucie le chien,* que Sophie Bienvenu a décidé de devenir une auteure (idéalement célèbre et à succès) ou du moins d'écrire des histoires qui plaisent aux gens. Dans sa série *(k),* elle dépeint des jeunes évoluant sur fond d'amour, d'humour, de drame et de fantaisie.

Salgood Sam

Au début des années 1990, Salgood Sam fait de la bande dessinée et de l'animation tout en pratiquant d'autres formes d'art. Depuis l'an 2000, il se livre aussi à l'écriture, au « blogging » ainsi qu'au « podcasting ». Il a publié plus d'une trentaine de titres de bandes dessinées chez Marvel et DC Comics, et a été finaliste dans la catégorie « talent émergent » à l'occasion de la première édition des prix Doug Wright en 2005. En 2008, il a collaboré avec l'auteur et éditeur Jim Monroe à la publication du roman graphique *Therefore Repent.* En 2009, plusieurs de ses nouvelles paraîtront dans les anthologies *Comic Book Tattoo* et *Popgun 3*. La publication de *Revolver R* est également prévue pour octobre 2009. *(k)* est la première collaboration de Salgood Sam avec la courte échelle.

Les éditions de la courte échelle inc.
5243, boul. Saint-Laurent
Montréal (Québec) H2T 1S4
www.courteechelle.com

Direction littéraire : Julie-Jeanne Roy

Révision : Leïla Turki

Direction artistique : Jean-François Lejeune

Infographie : D.Sim.Al

Dépôt légal, 3e trimestre 2009
Bibliothèque nationale du Québec

La courte échelle reconnaît l'aide financière du gouvernement du Canada par l'entremise du Programme d'aide au développement de l'industrie de l'édition pour ses activités d'édition. La courte échelle est aussi inscrite au programme de subvention globale du Conseil des Arts du Canada et reçoit l'appui du gouvernement du Québec par l'intermédiaire de la SODEC.

La courte échelle bénéficie également du Programme de crédit d'impôt pour l'édition de livres – Gestion SODEC – du gouvernement du Québec.

Catalogage avant publication de Bibliothèque et Archives nationales du Québec et Bibliothèque et Archives Canada

Bienvenu, Sophie

La multiplication des voyelles

((K) ; épisode 9)
(Epizzod)
Pour les jeunes de 14 ans et plus.

ISBN 978-2-89651-157-0

I. Sam, Salgood. II. Titre. III. Collection : Bienvenu, Sophie. (K) ; épisode 9. IV. Collection : Epizzod.

PS8603.I357M84 2009 jC843'.6 C2009-941713-8
PS9603.I357M84 2009

Imprimé au Canada

DANS LA MÊME SÉRIE

(k) épisode 1
Princesse dans le caniveau

(k) épisode 2
Le dép' éclaire à des milles à la ronde

(k) épisode 3
Ce genre de fille-là

(k) épisode 4
Mon soldat inconnu

(k) épisode 5
Pourquoi pas ?

(k) épisode 6
Au sud de mon ventre

(k) épisode 7
Des amis et des hommes

(k) épisode 8
Des lendemains qui tanguent

(k) épisode 9
La multiplication des voyelles

(k) épisode 10
Son nombril et le monde autour
parution le 13 octobre 2009